Edition Schott

Guitar

Alexandre Tansman

1897 – 1986

Cavatine

Urtext

for Guitar
per Chitarra
pour Guitare

Edited from the Sources by /
Edizione critica a cura di
Frédéric Zigante

GA 561
ISMN 979-0-001-19353-5

www.schott-music.com

SCHOTT

Mainz · London · Berlin · Madrid · New York · Paris · Prague · Tokyo · Toronto
© 2014 SCHOTT MUSIC GmbH & Co. KG, Mainz · Printed in Germany

Alexandre Tansman, Santiago de Compostella, 1960.
Bibliothèque Nationale de France.

Preface

The work

The *Cavatine* by Alexandre Tansman (Lódz, Poland 12 June 1897 – Paris, France 15 November 1986), first published by Schott in 1952, was written in the spring of 1951 and completed at the beginning of June that year. Tansman entered the work in the International Competition for Music for Guitar held by the Accademia Musicale Chigiana di Siena to celebrate its twentieth anniversary. There were three sections, respectively for a piece for guitar solo, a piece for guitar and string quartet, and a concerto for guitar and small orchestra. Twenty-five compositions in all were entered, and the jury met from 20 to 23 August 1951, made up of the composer and violinist George Enescu (president), the violinist Riccardo Brengola, the pianist Guido Agosti, the cellist Gaspar Cassadó and the guitarist Andrés Segovia. The *Cavatine*, identified by the indication « 12/VI » alluding to Tansman's date of birth, was awarded first prize by unanimous decision[1]. According to competition rules the first performance of the winning piece was to take place during the summer season of the Accademia Musicale Chigiana, but after much insistence Segovia obtained permission to perform the piece outside Europe before then. In fact the work received its world première on 16 June 1952 at the Teatro Broadway in Buenos Aires.

The first European performance of the *Cavatine* was given by Segovia on 12 September 1952 at the Accademia Chigiana di Siena as part of a striking programme entirely made up of original works for guitar. There were pieces by Fernando Sor, Joaquín Turina, Heitor Villa-Lobos and the first performance of the *Quintetto per chitarra e archi op. 143* by Mario Castelnuovo-Tedesco, with members of the Quintetto Chigiano[2].

The *Cavatine* was Tansman's third composition for guitar, coming after *Mazurca*[3] in 1925 and *Concertino pour guitare et orchestre* in 1945[4]. In the form of a suite, the *Cavatine* is a tribute to Italy and in particular to Venice where, as the composer himself said, "it wrote itself". The movements are simply constructed, all in ABA form apart from the *Scherzino*. The *Cavatine* was recorded by Segovia in 1954, and over the years has established itself as Tansman's most successful work for guitar. The title, invariably given in the French form *Cavatine* in the author's own manuscripts[5], probably refers to the lyrical quality of all four movements[6].

It may well have been Segovia who prompted Alexandre Tansman to enter the *Cavatine* for the International Competition held by the Accademia Chigiana di Siena, where in 1950 Segovia had taken up his first official teaching appointment. The work that carried off the prize was in four movements, *Preludio, Sarabande, Scherzino* and *Barcarolle*. However, after the first few performances Segovia asked Tansman to add a movement in a more brilliant style to follow the evanescent *Barcarolle*, and in 1952 he composed the *Danza pomposa*. Thus the *Cavatine* in its 1951 version also proved not to be immune to Segovia's inveterate habit of "improving on" the works that were written for him. A finale that simply fades away into thin air was typical of Tansman and can be found in many of his works of all genres. A number of his compositions for guitar have recently been found in the archive of the Fundación Andrés Segovia, and they include two "suites" (*Inventions pour guitare* and *Pièces brèves pour guitare*) and a diptych (*Prélude et Interlude*) which end like this, just as the first version of Suite in modo polonico ended with a gentle *Berceuse (Kolysanka)*. In fact only three of the compositions for guitar by Tansman with several movements conclude with a lively finale: the *Sonatine*, written in 1952, the *Suite*, written in 1956, and the *Hommage à Chopin*, 1966.

Tansman was always scrupulous in responding to the demands of Segovia concerning his compositions. Conversely he did not trouble himself over such "technical" matters as the tuning of the instrument or whether what he wrote was

---

[1] The details of the Competition come from the Bollettino of the Accademia Chigiana di Siena. The prize for the concerto for guitar and orchestra was awarded to the Swiss composer Hans Haug for his *Concertino*, which received its premiere in 1972 in Lausanne by Alexandre Lagoya and was published in 1987 by Edizioni Berben, Ancona (E.2721B.), while the prize for a quintet for guitar and string quartet was not assigned. The jury also awarded a special prize to a work by the Austrian composer Jenö Takács, but nothing is known of this composition.

[2] The Quintetto Chigiano was made up of the pianist Sergio Lorenzi, the violinists Riccardo Brengola and Mario Benvenuti, the violist Giovanni Leone and the cellist Lino Filippini. In 1956 Segovia recorded the *Quintetto op. 143* by Mario Castelnuovo-Tedesco with members of the Quintetto Chigiano.

[3] The *Mazurka* is published by Schott.

[4] The *Concertino pour Guitare et Orchestre* of 1945 was never performed by Andrés Segovia. It received its first performance in Gdansk, Poland, by Frédéric Zigante and the Orchestre Philarmonique Baltique conducted by Zigmunt Rychert. The *Concertino* is published by Éditions Max Eschig (Paris 1991).

[5] In 1952 the suite was published by Schott under the Italianised title *Cavatina*, but in all the sources overseen by Tansman himself the title is always given in the French version *Cavatine*.

[6] In fact the reference is surely to the Cavatinas in Italian and French opera, short arias designed to present a character, or to instrumental *Cavatina* such as the famous movement in the *String Quartet opus 130* by Ludwig van Beethoven.

actually playable on the guitar[7]. In this respect one can say that, with the sole exception of *Pièce en forme de Passacaille* written in 1953, Tansman never seems to have bothered to produce a work for guitar in which all the instrumental details had been properly worked out. Presumably he always counted on Segovia's collaboration to produce a definitive performing version.

This was also the case for the *Cavatine*, which Tansman originally wrote a tone lower than the version we know. It was first published in 1952 following the Chigiana competition, while the *Danza pomposa* was published, also by Schott in 1961, without any reference to the fact that it could stand as the conclusion to the *Cavatine*.

This edition

In preparing this edition we have consulted the following sources:

1) **Ms51-a-Sacem:** author's autograph manuscript on two staves written in pencil and inked over, with Sacem registration no. 662,624 dated 5 October 1951 deposited with the Society. This is the first, outline version of the piece, in the home key of D, in four movements and dedicated to Andrés Segovia. Many of Tansman's compositions for guitar were first notated on two staves using the treble and bass clefs. 6pp.

2) **Ms51-b-Linares:** author's autograph manuscript in ink, fair copy. The home key is D, it is in four movements and dedicated to Andrés Segovia. The manuscript is conserved at the Fundación Andrés Segovia in Linares (Spain) and notated on a single stave. This is a carefully prepared manuscript with plenty of dynamic and expression markings. 6 pp.

3) **Ms51-c- Siena:** author's manuscript without the name Alexandre Tansman, replaced by the indication "12/VI". This is the manuscript with which Tansman participated in the International Competition for Music for Guitar held by the Accademia Musicale Chigiana di Siena in 1950. It is a fair copy in ink. The home key is E, it is in four movements and dedicated to Andrés Segovia. The manuscript is conserved at the Fundación Andrés Segovia in Linares (Spain) and notated on a single stave. This is a carefully prepared manuscript with plenty of dynamic and expression markings. Next to the title has been written in brackets "Forme: Sonatine en 4 mouvements". 5pp.

4) **Ms51-d-Paris:** author's manuscript without the name Alexandre Tansman, replaced by the indication "12/VI". The home key is D; this manuscript was probably intended for the Siena competition but was abandoned during its preparation. It features only the *Preludio* and part of the *Sarabande*. It is in the Tansman family archive. 2pp.

5) **MsSeg-a-Schott:** autograph manuscript of Andrés Segovia which he consigned to the Schott publishing house, where it is conserved. This manuscript was used for the first edition. The manuscript contains various annotations in the hand of Tansman, the home key is E, it is in four movements and dedicated to Andrés Segovia. The manuscript contains no fingerings.

6) **MsSeg-b-Linares:** autograph manuscript of Andrés Segovia of the *Preludio* and *Sarabande* conserved at the Fundación Andrés Segovia in Linares (Spain). The home key is E and the manuscript contains no fingerings.

7) **Ms52-Paris:** author's autograph manuscript in ink, fair copy, 3 pp. The home key is E, it is in four movements and bears no dedication. The *Preludio* is notated on two staves, the other movements on a single stave. This is a carefully prepared manuscript with plenty of dynamic and expression markings. It is in the Tansman family archive.

8) **Ms52-Linares:** author's autograph manuscript of the *Danza Pomposa*. The manuscript is conserved at the Fundación Andrés Segovia in Linares (Spain) and notated on a single stave. It bears the dedication to Andrés Segovia and, handwritten in brackets beneath the title, "Final de la *Cavatine* ou morceau séparé". At the end of the piece there is Tansman's autograph signature followed by the date 8 September 1952. 2pp. An additional slip of paper contains two alternative versions of the first 8 bars of the fugato from bar 29 to bar 36.

---

[7] This characteristic quite often gave Segovia a reason to reprimand his friend Tansman. Here are a few examples from the correspondence between the two musicians, conserved at the Fundación Andrés Segovia in Linares (Spain).
«.. Permets moi de te rappeler d'écrire ton oeuvre en LA et de ne pas mettre dans le registre grave aucune note en dessous du MI, car il faudrait donc accorder les basses autrement. ...» (York, 3 Février 1965) "Hope you don't mind if I remind you that you have to write your piece in A, and that you should not put in the low range any note below E, as it would be necessary to tune the basses in a different way..." (York, February 3rd, 1965)
«..a differentes reprises ... tu composes en songeant à l'accord MI, LA, RE, SOL, SI, MI et tout d'un coup , tu emploies le RE grave pour obtenir lequel il faudrait s'arreter et descendre la VIème corde du MI au RE, ce qui est impossible !...A cause de cette obstination de ta part, il m'a été difficile d'adapter plusieurs de tes oeuvres que tu as écrites pour moi, comme la Passacaille, trois ou quatre numeros de la Première Suite – celle qui contient la Berceuse d'Orient – plusieurs autres pièces de l'Hommage à Chopin. Heureusement j'ai pû résoudre ces petits- grands problèmes dans la Suite in Modo polonico....» (Madrid 27 Juillet 1971) "At different times (...) you compose using the tuning E, A, D, G, B, E, and then, all of a sudden, you use low D. In order to obtain this, you should stop and put the 6th string down from E to D, which is impossibile to do! (...) Because you're so stubborn, it has been difficult for me to adapt most of the work you have composed, such as the Passacaille, three or four numbers of the First Suite – that one that contains the Berceuse d'Orient – and several other pieces of the Hommage à Chopin. Luckily enough, I have been able to solve these small-big issues in the Suite in modo polonico ..." (Madrid, July 27th, 1971)

9) **Ms54-Sacem** author's autograph manuscript of the *Danza pomposa*, in ink and fair copy, with Sacem registration no. 688,269 dated 21 May 1954 on the last page, deposited with the Society. In this source the *Danza Pomposa* bears the indication «ad libitum» beneath the title. 2 pp.

10) **Ms61-Schott:** non-autograph manuscript by an unidentified copyist of the *Danza pomposa*. Conserved in the archive of the Schott publishing house. It is fingered throughout and was used in the preparation of the Schott edition of 1961. It bears the dedication to Andrés Segovia and numerous annotations by the author, including the indication "Doigté et révisé par Andrés Segovia", subsequently crossed out. Apart from a note written by Tansman referring to the Decca recording of the piece made in 1954, in which it features as the final movement of the suite, the manuscript contains no mention of its inclusion in the *Cavatine*. 2pp.

11) **Ed52-Schott-a:** first edition edited by Schott under the author's supervision. This edition is without fingering. Catalogue number 38272 and number GA 165 in the Gitaren-Archiv series.

12) **Ed52-Schott-b:** second edition edited by Schott under the author's supervision with the addition of fingering not attributed to Andrés Segovia. Indeed this fingering differs in a number of details from that used by the guitarist and passed on to his pupils. Catalogue number 38272 and number GA 165 in the Gitaren-Archiv series.

13) **Ed61-Schott:** Schott edition of the *Danza Pomposa* published with the author's supervision in 1961. This edition makes no mention of the possibility of including the piece in the *Cavatine*. Catalogue number 40454 and number GA 206 in the Gitaren-Archiv series.

Criteria used for this edition

The fact that there is such a wealth of sources available should not lead to the assumption that there are many different versions of the *Cavatine*. The various sources concord about practically the whole of the musical text, differing only when it comes to dynamic and expression markings. There are however some critical passages in the *Preludio, Scherzino* and *Danza pomposa*, where more intricate part writing makes for technical difficulties, which exist in different versions proposed by Tansman in attempts to find solutions that lie better on the instrument. In some cases these solutions were adopted by Segovia, while in others they led to still more alternatives. Segovia was clearly always interested not so much in resolving difficulties of execution or mitigating technical problems but in fostering the natural flow, allowing his legendary lyrical playing to show to best advantage. It must be said that all these modifications were wholly endorsed and approved by Alexandre Tansman, who was even able to intervene on the proofs of the historic Schott edition. Faced with this state of affairs, and bearing in mind that Tansman, who was not a guitarist, never gave any importance to the actual instrumental form of his music for guitar, it is surely unthinkable to go back to the first versions of the work and do away with the fruits of the indispensable collaboration between the author and his prime performer. Nonetheless there are a number of details and omissions in the historic Schott edition which are not easy to account for. Thus we have made a scrupulous comparison of the various sources, gathering all the possible indications provided in particular by Tansman's last decisions, in order to make this new edition as complete and reliable as possible. All the variants occurring in the sources are given in the critical apparatus, enabling readers to make different choices if they wish so. All the left hand slurs and fingering, which never feature in Tansman's manuscripts, have been supplied by the editor.

There remains the question of the *Danza Pomposa,* added as the suite's final movement at the request of Segovia a year after Tansman completed the Cavatine. The Schott edition of 1961 makes no mention of the possibility of including it in the *Cavatine*, while the author's two autograph manuscripts, one given to Segovia and the other to Sacem to register the work's copyright, testify with characteristic discretion to Tansman's own attitude. The annotations "ad libitum" and "Final de la *Cavatine* ou morceau séparé" on the two manuscripts show that Tansman certainly accepted the performance praxis urged by Segovia with a good grace. At the same time, however, he managed to remind us the fact that the suite had been conceived with an evanescent finale[8].

Frédéric Zigante

[8] I wish to thank for their collaboration Marianne and Mireille Tansman, Gérald Hugon, Dimitri Illarionov, Doris Geib, Guido Burchi, Emilita Corral de Segovia, Angelo Gilardino and Raffaele Pisano, Antonio Rugalo, Mario Tozta e Mark Weir.

Prefazione

L'opera

La *Cavatine* di Alexandre Tansman (Łódz, Polonia, 12 giugno 1897 – Parigi, 15 novembre 1986), pubblicata per la prima volta dalle edizioni Schott nel 1952, fu scritta durante la primavera del 1951 e completata ad inizio giugno dello stesso anno. Con questa composizione Tansman partecipò al Concorso Internazionale di Musiche per Chitarra indetto alla fine del 1950 dall'Accademia Musicale Chigiana di Siena per festeggiare il ventennale della sua attività musicale. Il concorso comprendeva tre sezioni rispettivamente dedicate ad un brano per chitarra sola, ad un brano da camera per chitarra e quartetto d'archi e ad un concerto per chitarra e piccola orchestra. Le cronache dell'epoca riferiscono che la giuria si riunì per esaminare i lavori dal 20 al 23 agosto 1951 e che le composizioni in concorso furono venticinque. La commissione, presieduta dal compositore e violinista George Enescu, era composta dal violinista Riccardo Brengola, dal pianista Guido Agosti, dal violoncellista Gaspar Cassadó e infine dal chitarrista Andrés Segovia. La *Cavatine* contrassegnata dal motto «12/VI», in riferimento alla data di nascita di Tansman, vinse il primo premio all'unanimità[1]. Il regolamento prevedeva che la prima esecuzione del brano vincitore fosse riservata alla stagione estiva dell'Accademia Musicale Chigiana, ma Segovia ottenne, dopo molte insistenze, di poter suonare il brano fuori dall'Europa prima dell'estate del 1952. Infatti la prima esecuzione assoluta avvenne il 16 giugno 1952 al Teatro Broadway di Buenos Aires in Argentina. La prima esecuzione europea della *Cavatine* avvenne il 12 settembre 1952 all'Accademia Chigiana di Siena nell'ambito di un raro programma dedicato esclusivamente a musiche originali per chitarra comprendente brani di Fernando Sor, Joaquín Turina, Heitor Villa-Lobos e la prima esecuzione del *Quintetto per chitarra e archi op. 143* di Mario Castelnuovo-Tedesco con la collaborazione degli archi del «*Quintetto Chigiano*»[2].

La *Cavatine* è la terza composizione per chitarra del compositore polacco-francese, preceduta dalla *Mazurca*[3] del 1925 e dal *Concertino pour guitare et orchestre del 1945*[4]. Concepita come una suite, la *Cavatine* è un omaggio all'Italia e in particolare a Venezia dove, secondo le parole dello stesso Tansman, si era "scritta da sola". I movimenti sono formalmente semplici e, con l'eccezione dello *Scherzino*, in forma ABA. Incisa da Segovia nel 1954, la *Cavatine* si è consolidata nel tempo come l'opera per chitarra di maggior successo del compositore. L'origine del titolo, *Cavatine*, in francese in tutti i manoscritti dell'autore[5], si riferisce probabilmente alla particolare cantabilità che pervade tutti i movimenti[6].

Alexandre Tansman decise, forse su sollecitazione di Segovia, di presentare la *Cavatine* al Concorso Internazionale dell'Accademia Chigiana di Siena, accademia presso la quale il chitarrista iniziò la propria attività didattica ufficiale proprio nel 1950. L'opera fu premiata nella sua prima stesura in quattro movimenti (*Preludio, Sarabande, Scherzino e Barcarole*), ma dopo le prime esecuzioni pubbliche Segovia chiese all'Autore di aggiungere un movimento dal carattere più brillante, come conclusione da far seguire all'evanescente *Barcarole*. Nacque così, nel 1952, la *Danza pomposa*. Anche la *Cavatine* del 1951 non sfuggì dunque all'abitudine di Segovia di ritoccare le opere a lui destinate. Il finale in evanescenza era tipico di Tansman e lo si trova in molte opere non chitarristiche. Le opere per chitarra recentemente riscoperte presso l'archivio della Fundación Andrés Segovia comprendono due "suite" (*Inventions pour guitare* e *Pièces brèves pour guitare*) ed un dittico (*Prélude et Interlude*) che si concludono in questo modo ed anche la *Suite in modo polonico* si concludeva, nella sua prima versione, con una *Berceuse (Kolysanka)*. Di fatto, soltanto tre fra le composizioni in più movimenti per chitarra di Tansman si concludono con un tempo vivo: la *Sonatine* del 1952, la *Suite* del 1956 e l'*Hommage à Chopin* del 1966.

Se le richieste di Segovia sul piano compositivo trovavano sempre una viva ed attenta accoglienza, Alexandre Tansman si preoccupò molto meno di questioni meramente tecniche, come l'accordatura dello strumento e l'effettiva eseguibilità

---

[1] Le notizie sullo svolgimento del Concorso provengono dal Bollettino dell'Accademia Chigiana. Il premio per il concerto per chitarra e orchestra venne assegnato al compositore svizzero Hans Haug per il suo *Concertino*, eseguito in prima esecuzione nel 1972 a Lausanne da Alexandre Lagoya e pubblicato nel 1987 dalle Edizioni Bèrben, Ancona (E.2721B.), mentre il premio per un quintetto per chitarra e quartetto d'archi non fu assegnato. La Giuria segnalò anche con un premio speciale un'altra composizione dell'austriaco Jenö Takács: di questa opera non si conosce nulla.

[2] Il *Quintetto Chigiano* era composto dal pianista Sergio Lorenzi, dai violinisti Riccardo Brengola e Mario Benvenuti, dal violista Giovanni Leone e dal violoncellista Lino Filippini. Con gli archi del Quintetto Chigiano Segovia registrò nel 1956 il *Quintetto op. 143* di Mario Castelnuovo-Tedesco.

[3] La *Mazurka* è pubblicata dalle edizioni Schott.

[4] Il *Concertino pour Guitare et Orchestre* del 1945 non fu mai eseguito da Andrés Segovia. E' stato presentato in prima esecuzione a Gdansk (Danzica, Polonia) da Frédéric Zigante e l'Orchestre Philarmonique Baltique diretta da Zygmunt Rychert. Il *Concertino* è pubblicato dalle Éditions Max Eschig (1991).

[5] Nel 1952 la suite venne pubblicata da Schott con il titolo italianizzato di *Cavatina*, tuttavia in tutti i testi redatti dallo stesso Tansman il titolo è nella versione francese: *Cavatine*.

[6] Si può dunque a ragione far riferimento alle cavatine dell'opere liriche italiane e francesi che erano delle brevi arie che servivano a presentare un personaggio, oppure a cavatine strumentali come la celebre *Cavatina* del *Quartetto per archi op.130* di Ludwig van Beethoven.

della sua musica sulla chitarra[7]. Per questo aspetto si può affermare che Tansman non sembra, con la sola eccezione dalla *Pièce en forme de Passacaille* del 1953, essersi mai preoccupato di elaborare un testo chitarristico definito in tutti suoi dettagli strumentali contando probabilmente sulla collaborazione di Segovia per la messa a punto di un testo pronto per l'esecuzione.

È questo anche il caso della *Cavatine* che Tansman scrisse in origine un tono sotto la versione definitiva per poi trasportarla un tono più in alto. La *Cavatine* venne pubblicata la prima volta nel 1952 a seguito del Concorso dell'Accademia Chigiana, mentre la *Danza pomposa* venne pubblicata, sempre da Schott, solamente nel 1961 senza alcun riferimento al fatto che l'opera potesse essere integrata a conclusione della *Cavatine*.

La presente edizione

Per la preparazione della presente edizione abbiamo consultato le seguenti fonti:

1) **Ms51-a-Sacem**: manoscritto autografo dell'Autore su due pentagrammi scritto a matita e poi ricalcato a penna, 6 p., con timbro Sacem n. 662,624 del 5 ottobre 1951 e depositato presso questa società[8]. Si tratta della prima stesura molto sommaria del brano, la tonalità di base è Re, è in quattro movimenti ed è dedicato a Andrés Segovia. Molte composizioni di Tansman per chitarra hanno la loro prima stesura su due pentagrammi in chiave di violino e di basso.

2) **Ms51-b-Linares**: manoscritto autografo dell'Autore a penna e in bella copia, 6 p. La tonalità di base è Re, è in quattro movimenti ed è dedicato a Andrés Segovia. Il manoscritto è conservato presso la Fundación Andrés Segovia di Linares (Spagna) ed è scritto su un solo pentagramma. Si tratta di un manoscritto accurato e ricco di segni di dinamica ed espressione.

3) **Ms51-c-Siena**: manoscritto di pugno dell'Autore ma privo del nome Alexandre Tansman, sostituito dal motto «12/VI», 5 p. Si tratta del manoscritto con il quale Tansman partecipò al Concorso Internazionale di Musiche per Chitarra indetto dall'Accademia Musicale Chigiana di Siena nel 1950. Si tratta di un manoscritto a penna e in bella copia. La tonalità di base è Mi, è in quattro movimenti ed è dedicato a Andrés Segovia. Il manoscritto è conservato attualmente presso la Fundación Andrés Segovia ed è scritto su un solo pentagramma. Si tratta di un manoscritto molto accurato e ricco di segni di dinamica ed espressione. Accanto al titolo si trova la scritta tra parentesi "Forme: Sonatine en 4 mouvements".

4) **Ms51-d-Paris**: manoscritto di pugno dell'Autore ma privo del nome Alexandre Tansman, sostituito dal motto «12/VI», 2 p. La tonalità di base è Re e si tratta di un manoscritto probabilmente destinato al concorso di Siena poi abbandonato durante la stesura, infatti presenta solo il *Preludio* e una parte della *Sarabande*. Si trova nell'archivio della famiglia Tansman.

5) **MsSeg-a-Schott**: manoscritto autografo di Andrés Segovia consegnato da quest'ultimo all'editore Schott e ivi giacente. Su questo manoscritto venne preparata la prima edizione. Il manoscritto contiene diverse annotazioni autografe di Tansman, la tonalità di base è Mi, è in quattro movimenti e l'opera è dedicata a Andrés Segovia. Il manoscritto è privo di diteggiatura.

6) **MsSeg-b-Linares**: manoscritto autografo di Andrés Segovia del *Preludio* e della *Sarabande* conservato attualmente presso la Fundación Andrés Segovia. La tonalità di base è Mi e il manoscritto è privo di diteggiatura.

7) **Ms52–Paris**: manoscritto autografo dell'Autore a penna e in bella copia, 3p. La tonalità di base è Mi, è in quattro movimenti, non riporta alcuna dedica. Il *Preludio* è scritto su doppio pentagramma ed gli altri movimenti sono scritti su un solo pentagramma. Si tratta di un manoscritto accurato e ricco di segni di dinamica ed espressione. Si trova nell'archivio della famiglia Tansman.

8) **Ms52-Linares**: manoscritto autografo dell'Autore della sola *Danza Pomposa*, 2 p. Il manoscritto è conservato presso la Fundación Andrés Segovia ed è scritto su un solo pentagramma. Riporta la dedica a Andrés Segovia e

---

[7] Cosa che Segovia rimproverava con un certa regolarità all'amico Tansman. Ecco alcuni esempi tratti dell'epistolario dei due musicisti ora conservato presso la Fundación Andrés Segovia:

«... *Permets moi de te rappeler d'écrire ton oeuvre en LA et de ne pas mettre dans le registre grave aucune note en dessous du MI, car il faudrait donc accorder les basses autrement. ...*» *(York, 3 febbraio 1965)* "Permettimi di ricordarti di scrivere il tuo brano in La e di non mettere nel registro grave nessuna nota al di sotto del MI, altrimenti sarebbe necessario accordare diversamente i bassi ..." (York, 3 febbraio 1965)

«... *a différentes reprises ... tu composes en songeant à l'accord MI, LA, RE, SOL, SI, MI et* tout d'un coup*, tu emploies le RE grave pour obtenir lequel il faudrait s'arrêter et descendre la VIème corde du MI au RE, ce qui est impossible!...A cause de cette obstination de ta part, il m'a été difficile d'adapter plusieurs de tes oeuvres que tu as écrites pour moi, comme la Passacaille, trois ou quatre numéros de la Première Suite – celle qui contient la Berceuse d'Orient – plusieurs autres pièces de l'Hommage à Chopin. Heureusement j'ai pu résoudre ces petits – grands problèmes dans la Suite in Modo polonico....*» *(Madrid, 27 luglio 1971)*. "A più riprese ... tu componi pensando all'accordatura MI, LA, RE, SOL, SI, MI, e improvvisamente utilizzi il RE grave per ottenere il quale occorrerebbe fermarsi e abbassare la sesta corda da MI a RE, cosa che è impossibile! ... A causa di questa tua ostinazione, mi è stato difficile adattare alcune tue opere scritte per me, come la *Passacaille*, tre o quattro movimenti della *Prima Suite* – quella che contiene la *Berceuse d'Orient* – alcuni altri pezzi dell' *Hommage à Chopin*. Fortunatamente ho potuto risolvere questi piccoli-grandi problemi nella Suite in modo polonico ..." (Madrid, 27 luglio 1971)

nel sottotitolo riporta la scritta tra parentesi "Final de la '*Cavatine*' ou morceau séparé". A fine brano c'è la firma autografa di Tansman con sotto la data 8 settembre 1952. Segue un frammento di un foglio con due versioni alternative delle prime 8 battute del fugato, da battuta 29 a battuta 36.

9) **Ms54-Sacem:** manoscritto della *Danza pomposa*, autografo dell'Autore a penna e in bella copia, 2 p.con timbro Sacem numero 688,269 del 21 maggio 1954 sull'ultima pagina ed è giacente presso gli archivi della società. In questa fonte la *Danza Pomposa* è indicata "ad libitum" sotto il titolo.

10) **Ms61-Schott:** manoscritto non autografo di copista non identificato della *Danza pomposa*, 2 p. Si trova nell'archivio dell'editore Schott, è interamente diteggiato ed è servito per la preparazione dell'edizione Schott del 1961. Riporta la dedica ad Andrés Segovia e numerose annotazioni dell'Autore, inclusa la scritta "Doigté et révisé par Andrés Segovia", poi cancellata da un tratto. Se si esclude una nota di Tansman che fa riferimento all'incisione Decca del 1954 del brano, incisione in cui il brano viene presentato come ultimo movimento dalla suite, il manoscritto non contiene alcun riferimento all'inclusione nella *Cavatine*.

11) **Ed52-Schott-a:** prima edizione curata dall'editore Schott sotto il controllo dell'Autore. Questa edizione è priva di diteggiatura. Numero di catalogo 38272 e numero nella collana Gitarren-Archiv GA 165.

12) **Ed52-Schott-b:** seconda edizione curata dall'editore Schott sotto il controllo dell'Autore con aggiunta di una diteggiatura non attribuita ad Andrés Segovia. Infatti tale diteggiatura differisce in diversi dettagli da ciò che il chitarrista suonava e insegnava ai suoi allievi. Numero di catalogo 38272 e numero nella collana Gitarren-Archiv GA 165.

13) **Ed61-Schott:** edizione Schott della *Danza Pomposa* pubblicata sotto il controllo dell'Autore nel 1961. Questa edizione non contiene alcun riferimento alla possibilità di integrare il brano nella *Cavatine*. Numero di catalogo 40454 e numero nella collana Gitarren-Archiv GA 206.

Criteri per l'edizione

L'abbondanza di fonti disponibili non deve indurre a pensare che della *Cavatine* esistano così numerose versioni divergenti. Per la quasi totalità del testo musicale queste differenti fonti coincidono nella sostanza e contengono solo differenze nella dinamica e nei segni di espressione. Tuttavia alcuni punti critici, a causa di improvvisi addensamenti polifonici con picchi di difficoltà meccanica, nel *Preludio*, nello *Scherzino* e nella *Danza pomposa* sono oggetto di versioni differenti proposte da Tansman nel tentativo di trovare soluzioni strumentalmente più funzionali: alcune volte queste soluzioni furono adottate da Segovia, altre volte furono lo spunto per ulteriori versioni alternative. La ricerca di Segovia in questo contesto, più che essere indirizzata a risolvere difficoltà di effettiva eseguibilità oppure a ridimensionare problemi di tecnica meccanica, è chiaramente volta alla ricerca di una naturale scorrevolezza che favorisse il dispiegamento della sua leggendaria cantabilità. Va anche detto che tutte queste modifiche furono ampiamente sottoscritte ed approvate dallo stesso Alexandre Tansman che ha avuto la possibilità di intervenire anche sulle bozze preparatorie della storica edizione Schott. Di fronte a questa evidenza e considerando che Tansman, che non era chitarrista, non si poneva minimamente il problema dell'effettiva definizione strumentale della sua musica per chitarra, è sembrato improponibile immaginare un ritorno *tout court* alle prime stesure dell'opera che cancellasse con un colpo di spugna l'indispensabile collaborazione tra l'Autore e il suo interprete di riferimento. Occorre tuttavia aggiungere che la storica edizione Schott presentava numerose criticità in quanto a precisione dei dettagli e omissioni, forse casuali ma non facili da comprendere. Il nostro compito è quindi consistito nel fare un confronto minuzioso tra le varie fonti e nel ricavarne tutto ciò che consentisse di redigere, a partire dalle decisioni ultime di Tansman sulla sua opera, una nuova edizione il più completa ed attendibile possibile. Nell'apparato critico sono invece riportate tutte le varianti che si trovano nelle diverse fonti: il lettore sarà quindi in grado, se lo ritiene opportuno, di fare scelte diverse. Le legature della mano sinistra e la diteggiatura, del tutto assenti nei manoscritti di Tansman, sono del curatore di questa edizione.

Resta infine la questione della *Danza Pomposa*, movimento conclusivo aggiunto su richiesta di Segovia dopo un anno dalla conclusione della *Cavatine*. L'edizione Schott del 1961 non menziona la possibilità di integrarla alla *Cavatine*, mentre i due manoscritti autografi dell'Autore, consegnati uno a Segovia e l'altro alla Sacem per il deposito legale, ci rivelano garbatamente e con discrezione il pensiero di Alexandre Tansman. Le minute annotazioni "ad libitum" e "Final de la '*Cavatine*' ou morceau séparé" sui due manoscritti ci mostrano un Tansman che accetta con benevolenza una prassi esecutiva sostenuta con convinzione da Segovia, ma che allo stesso tempo non rinuncia a ricordarci che aveva concepito un originale finale in evanescenza[9].

Frédéric Zigante

[8] Société des Auteurs, Compositeurs et Editeurs de musique.
[9] Desidero ringraziare per la collaborazione Marianne e Mireille Tansman, Gérald Hugon, Dimitri Illarionov, Doris Geib, Guido Burchi, Emilita Corral de Segovia, Angelo Gilardino, Raffaele Pisano, Antonio Rugolo, Mario Torta e Mark Weir.

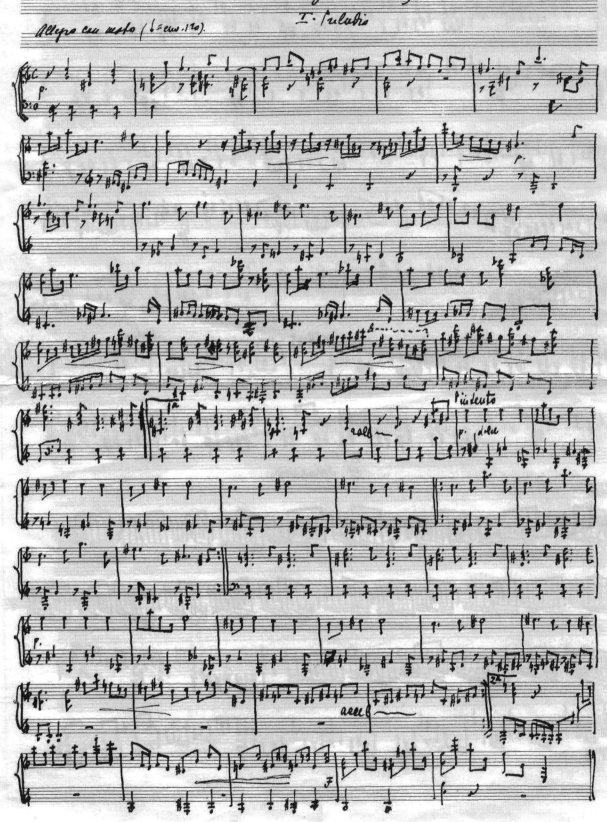

A. Tansman: Cavatine pour Guitare, Bibliothèque Nationale de France

Cavatine

Alexandre Tansman
1897–1986

I Preludio

© 2014 Schott Music GmbH & Co. KG, Mainz

55 650

II Sarabande

III Scherzino

18

IV Barcarole

Andantino grazioso e cantabile (♩. ca. 60)

V Danza Pomposa
(ad libitum)

Andante pomposo

55 650

Schott Music, Mainz 55 650

Critical commentary

Abbreviations
Notation of bars and tempi:
26, 27, 32: bars 26, 27 and 32
26-32: from bar 26 to bar 32
26.3: bar 26, 3rd beat, indicated using the unit of tempo of the piece
26.3-28.2: from 3rd beat of bar 26 to 2nd beat of bar 28
26.3 and 28.3: on 3rd beat of bar 26 and 3rd beat of bar 28

Preludio

4.1
Ms51-b-Linares: F in the first space in all the author's manuscript sources except this one, where as well as the F the low A is also missing.

5.4
Ms51-a-Sacem, Ms51-b-Linares, Ms51-c-Siena, Ms51-d-Paris, Ms52-Paris: E on the first line together with B on the second quaver.

8.4
MsSeg-a-Schott, Ed52-Schott-a/b:
The first note is a D.

15.4 and 17.4
Ms51-a-Sacem, Ms51-b-Linares, Ms51-c Siena, Ms51-d-Paris, MsSeg-b-Linares, Ms52-Paris:
two semiquavers on the second part of the fourth beat, D on the fourth line and E on the first line.

16.3-4 and 18.3-4
Ms51-a-Sacem, Ms51-b-Linares, Ms51-c-Siena, Ms51-d Paris, MsSeg-b-Linares, Ms52-Paris:

Ms54-Sacem:
(only16.3-4)

19.1-22.4
Ms51-a-Sacem, Ms51-b-Linares, Ms52-Paris:

Ms51-c-Siena:

Ms51-d-Paris:

MsSeg-b-Linares:

MsSeg-a-Schott, Ed52-Schott-a/b:

The solution Segovia chose for the Schott edition is undoubtedly the most agile, but it is not convincing on account of the bass note coming on the beat at 21.3: in this edition the original rhythm has been restored.

23.2 and 24.2

MsSeg-a-Schott, Ed52-Schott-a/b:

the triads on the second quaver are replaced just by a D on the fourth line.

25.4

Ms51-b Linares, Ms51-c Siena:

B-D-E-A, minim

26.2

Ms51-a-Sacem:

B-D-A, crotchet followed by rest on 26.3

Ms51-b-Linares, Ms51-d-Paris:

E-D-E-A, minim

Ms51-c-Siena:

B-D-E-A, minim

Ms52-Paris:

B-D-E-A, crotchet followed by rest on 26.3

34.3 and 38.3

MsSeg-a-Schott, Ed52-Schott-a: high B harmonic on the twelfth fret.

51.2

Ms51-a-Sacem, Ms51-b-Linares, Ms51-c-Siena, Ms51-d-Paris, MsSeg-b-Linares, Ms52-Paris: on the second quaver there is a D# beneath the stave.

56.4

EdSchott52-b the two quavers doubled in the lower octave are only found in this source.

59-60

Ms51-a-Sacem, Ms51-b-Linares, Ms51-c-Siena, MsSeg-b-Linares:

Sarabande

20

Ed52-Schott-a/b, MsSEg-a-Schott:

this bar missing on account of a copying error.

23

Ms51-a-Sacem, Ms51-b-Linares:

33-34

Ms51-a-Sacem, Ms51-b-Linares, Ms51-c-Siena, Ms51-d-Paris, MsSeg-b-Linares, Ms52-Paris:

Ed52-Schott-b: the layout adopted only occurs in this source.

43.1

Ms51-c-Siena, MsSeg-a-Schott, Ed52-Schott-a/b: low B below stave.

47.2

MsSeg-a-Schott, Ed52-Schott-a: crotchet chord G#- D#- B, the G# quaver above the stave omitted in the second half of the beat.

Scherzino

1

Ms51-a-Sacem: *Vivo*

Ms51-b-Linares: *Vivo* with metronome indication for crotchet "env. 112" added subsequently in pencil. Presumably an error: the metronome indication should be for quavers.

Ms51-c-Siena, MsSEg-a-Schott: *Allegro con moto – Vivo*

Ms52- d- Paris: *Vivo*

Ed52-Schott-a/b: *Allegro con moto*

9.2

Ms51-a-Sacem, Ms51-b-Linares, Ms51-c-Siena:

10.2

Ms51-a-Sacem, Ms51-b-Linares, Ms51-c-Siena: F sharp in first space.

15-16

Ms52-Paris: these 2 bars are given only in this source. All the others pass directly from the end of bar 14 to the beginning of bar 17.

19.1 and 23.1

Ms51-a-Sacem, Ms51-b-Linares, Ms52-Paris: the E and low A are doubled an octave up.

28-34

Ms51-b-Linares, Ms51-c-Siena, Ms52-Paris:

grazioso

The ostinato figure was slightly different in the first edition, with the A in the second space being left out in the first beat of each bar.

37-38

Ms51-c-Siena, Ms51-b-Linares:

Ms52-Paris:

The bar has already been simplified in **Ms51-c Siena**.

39-40

Ms51-b-Linares, Ms51-c-Siena, Ms52-Paris:

This modification appears in **MsSEg-a-Schott** and in the printed editions.

43.2

MsSEg-a-Schott, Ed52-Schott-a/b:
E-D-G-B
46.3

MsSEg-a-Schott, Ed52-Schott-a/b:
E-D-G-B
53-54

Ms52-Paris: variant in the finale.

Barcarolle

6.1

Ms51-a-Sacem, Ms54-Sacem:
A-C on the last quaver.
23.1

Ms51-c-Siena: D-B-F♯.
Ms51-a-Sacem, Ms51-b-Linares, Ms52-Paris: D-A-F♯

Danza pomposa

The polyphonic writing in this piece was radically transformed when it was revised for performance, and the changes were fully endorsed by the composer on publication. The differences with respect to the early versions are given below.

1

Ms52-Linares and Ms54-Sacem:
Allegro moderato (q = env. 92 à 96)
4.4

Ms52-Linares, Ms54-Sacem: the semiquavers are doubled a sixth down.
6.1

Ms52-Linares and Ms54-Sacem:

9-12

Ms52-Linares, Ms54-Sacem:

20.3

Ms52-Linares, Ms54-Sacem:

24.4

Ms52-Linares, Ms54-Sacem: the semiquavers are doubled a sixth down.

27-28

Ms52-Linares e Ms54-Sacem:

29-36

Ms52-Linares: In this manuscript Tansman gave alternative versions for the first eight bars of the fugato.

32-35

Ms52-Linares and Ms54-Sacem:

36.3
Ms61-Schott, Ed61-Schott: the bass note on the first quaver is a D.
37-39
Ms52-Linares, Ms54-Sacem:

41 and 44
Ms52-Linares, Ms54-Sacem: in the published text the fugato is a bar longer than in the autograph manuscripts because in the definitive version for the printer the author decided to make the two initial chords in bars 41 and 44 into a crotchet tied to a quaver, probably to give the whole section more breadth.

40.2:
Ms52-Linares and Ms54-Sacem
B-F-D

41.1,42.3,43.2:
Ms52-Linares, Ms54-Sacem: the bass notes are crotchets.
50.3
Ms52-Linares, Ms54-Sacem: the chord is B -F#- D
41-50
Ms52-Linares and Ms54-Sacem

Commento critico

Abbreviazioni
Notazione delle battute e dei tempi:
26, 27, 32: battute 26, 27 e 32
26-32: da battuta 26 a battuta 32
26.3: battuta 26, 3° tempo indicato dal denominatore dell'indicazione di tempo del brano.
26.3-28.2: dal 3°tempo di battuta 26 al 2° tempo di battuta 28
26.3 e 28.3: sul 3°tempo di battuta 26 e sul 3°tempo di battuta 28

Preludio
4.1
Ms51-b-Linares: fa sul primo spazio in tutte le fonti manoscritte dell'autore, esclusa questa fonte dove oltre al fa è omesso anche il la basso.
5.4
Ms51-a Sacem, Ms51-b-Linares, Ms51-c-Siena, Ms51-d Paris, Ms52-Paris: mi sul primo rigo insieme al si sul secondo ottavo
8.4
MsSeg-a-Schott, Ed52-Schott-a/b:
la prima nota è un re.
15.4 e 17.4
Ms51-a Sacem, Ms51-b Linares, Ms51-c Siena, Ms51-d-Paris, MsSeg-b-Linares, Ms52-Paris:
sulla seconda parte del quarto, re sul quarto rigo e mi sul primo rigo in ritmo di semicroma.
16.3-4 e 18.3-4
Ms51-a Sacem, Ms51-b Linares, Ms51-c Siena, Ms51-d Paris, MsSeg-b-Linares, Ms52-Paris:

Ms52-Sacem:
(solo16.3-4)

19.1-22.4
Ms51-a-Sacem, Ms51-b-Linares e Ms52-Paris:

26

Ms51-c-Siena:

ad libitum

ad libitum

Ms51-d-Paris:

MsSeg-b-Linares:

MsSeg-a-Schott e Ed52-Schott-a/b:

La soluzione scelta da Segovia per l'edizione Schott certamente è la più scorrevole ma non convince a causa dello spostamento del basso in battere su 21.3: l'abbiamo pertanto modificata nel testo definitivo, ripristinando il ritmo originale.

23.2 e 24.2
MsSeg-a-Schott, Ed52-Schott-a/b: le triadi sul secondo ottavo sono sostituite dal solo re sul quarto rigo.
25.4
Ms51-b Linares, Ms51-c Siena:
si-re-mi-la, minima
26.2
Ms51-a-Sacem:
si-re-la, semiminima seguita da pausa su 26.3

Ms51-b-Linares, Ms51-d-Paris:
mi-re-mi-la, minima
Ms51-c-Siena:
si-re-mi-la, minima
Ms52-Paris:
si-re-mi-la, semiminima seguita da pausa su 26.3
34.3 e 38.3
MsSeg-a-Schott e Ed52-Schott-a: i si acuto sono armonici al dodicesimo tasto.
51.2
Ms51-a-Sacem, Ms51-b-Linares, Ms51-c-Siena, Ms51-d-Paris, MsSeg-b-Linares, Ms52-Paris: sul secondo ottavo si trova un re# sotto il pentagramma.
56.4
EdSchott52-b le due crome sono raddoppiate all'ottava inferiore si trovano solo in questa fonte.
59-60
Ms51-a-Sacem, Ms51-b-Linares, Ms51-c-Siena, MsSeg-b-Linares:

Sarabande
20
Ed52-Schott-a/b, MsSEg-a-Schott:
questa battuta è omessa a causa di un errore di copiatura.
23
Ms51-a-Sacem, Ms51-b-Linares:

33-34
Ms51-a-Sacem, Ms51-b-Linares, Ms51-c-Siena, Ms51-d-Paris, MsSeg-b-Linares, Ms52-Paris:

Ed52-Schott-b: l'attuale disposizione appare solo in questa fonte.
43.1
Ms51-c-Siena, MsSeg-a-Schott, Ed52-Schott-a/b: si basso sotto il pentagramma.

47.2
MsSeg-a-Schott e Ed52-Schott-a: accordo sol#- re#- si in semi-minima, è ammesso il sol# croma sopra il pentagramma sulla seconda parte del movimento.

Scherzino

1
Ms51-a-Sacem: Vivo
Ms51-b-Linares: *Vivo* con indicazione di metronomo alle semi-minima "env. 112" aggiunta posteriormente a matita. Probabil-mente si tratta di un errore: l'indicazione di metronomo va letta alla croma.
Ms51-c-Siena e MsSEg-a-Schott: *Allegro con moto – Vivo*
Ms52- d- Paris: *Vivo*
Ed52-Schott-a/b: *Allegro con moto*

9.2
Ms51-a-Sacem, Ms51-b-Linares, Ms51-c-Siena:

10.2
Ms51-a-Sacem, Ms51-b-Linares, Ms51-c-Siena: fa diesis sul primo spazio.
15-16
Ms52-Paris:le 2 battute sono presenti solo in questa fonte. In tutte le altre fonti si passa direttamente da fine battuta 14 a ini-zio battuta 17.
19.1 e 23.1
Ms51-a-Sacem, Ms51-b-Linares e Ms52-Paris: il mi e il la basso sono raddoppiati all'ottava alta.
28 e 34
Ms51-b-Linares, Ms51-c-Siena e Ms52-Paris:

L'ostinato è stato leggermente modificato in occasione della prima edizione con l'omissione di un la sul 2° spazio sul primo quarto di ogni battuta
37-38
Ms51-c-Siena,Ms51-b-Linares:

Ms52-Paris:

La battuta si trova già semplificata in Ms51-c Siena.
39-40
Ms51-b-Linares, Ms51-c-Siena, Ms52-Paris:

La modifica del testo compare in **MsSeg-a-Schott** e nelle edizioni.

43.2
MsSEg-a-Schott, Ed52-Schott-a/b:
mi-re-sol-si
46.3
MsSEg-a-Schott, Ed52-Schott-a/b:
mi-re-sol-si
53-54
Ms52-Paris: variante nel finale.

Barcarolle

6.1
Ms51-a-Sacem, Ms54-Sacem:
La-do sull'ultimo ottavo.
23.1
Ms51-c-Siena: re-si-fa#.
Ms51-a-Sacem, Ms51-b-Linares, Ms52-Paris: re-la-fa#

Danza pomposa

Questo brano subì in occasione della revisione strumentale una profonda trasformazione sul piano della scrittura polifonica che fu integralmente sottoscritta dall'Autore: qui di seguito riportiamo le differenze con le prime stesure.
1
Ms52-Linares e Ms54-Sacem:
Allegro moderato (q = env. 92 à 96)
4.4
Ms52-Linares e Ms54-Sacem:
i sedicesimi sono raddoppiati alla sesta inferiore.
6.1

9-12
Ms52-Linares e Ms54-Sacem:

13-20
Ms52-Linares e Ms54-Sacem:

24.4

Ms52-Linares e Ms54-Sacem:

i sedicesimi sono raddoppiati alla sesta bassa.

27-28

Ms52-Linares e Ms54-Sacem:

29-36

Ms52-Linares: Tansman integrò questo manoscritto con due versioni alternative per le prime otto battute del fugato.

1ère version

suivre la 37ème mesure

2ème version

suivre la 37ème mesure

32-35

Ms52-Linares e Ms54-Sacem

36.3

Ms61-Schott e Ed61-Schott:

il basso sul primo ottavo è un re.

37-39

Ms52-Linares e Ms54-Sacem:

40.2:

Ms52-Linares e Ms54-Sacem

si-fa-re

41 e 44

Ms52-Linares e Ms54-Sacem: il fugato nella versione pubblicata è lungo una battuta in più rispetto ai manoscritti autografi poiché nella versione definitiva da dare alle stampe l'autore decise di allungare di una semiminima e mezza i due accordi iniziali delle battute 41 e 44 probabilmente per dare maggiore respiro a tutta la sezione.

41-50

Ms52-Linares e Ms54-Sacem

Da Capo al Fine